Haandarbejdets Frem

VILDE ROSER

og andre korsstingsmotiver

tegnet af Gerda Bengtsson

Høst & Søns Forlag

©Haandarbejdets Fremme, København 1974
og Høst & Søns Forlag, København 1974.
2. oplag 1980.
VILDE ROSER OG ANDRE KORSSTINGSMOTIVER
er sammensat fra tre af Haandarbejdets
Fremmes årskalendere:
ÅRETS KORSSTING tegnet af Gerda Bengtsson.
1972: Vilde Roser
1962: Mennesker i by og landskab
1964: Blomster i vindueskarmen
Trykt hos Permild & Rosengreen,
København 1980.

ISBN 87-14-28090-6

Indhold

Forord

I denne samling korsstingsarbejder, som den kendte tegner *Gerda Bengtsson* har udarbejdet for Haandarbejdets Fremme, vises tre sider af hendes kunst – og samtidig spændvidden i arbejdet med korsstingsteknikken og de naturmotiver, der er hendes. Netop Gerda Bengtssons troskab mod den levende natur karakteriserer bogens arbejder, og det er derfor naturligt at indlede med hendes fornemme skildringer af vilde roser, der så tydeligt og smukt viser Gerda Bengtssons oplevede og følte fornemmelse for det, der gror.

En anden gruppe er vejret og årstiderne, som kommer til udtryk i bogen gennem en række arbejder, der viser mennesker i landskabet og i byen i en række situationer, der hver for sig rummer en sum af oplevelse.

Bogen afsluttes med en række charmerende »blomstrende vinduer«, hvor Gerda Bengtsson har ladet blomstrende og grønne planter brede sig i deres urtepotter foran vinduernes lys.

Til de forskellige korsstingsarbejder er udelukkende anvendt Haandarbejdets Fremme's blomstergarn, der er et fint mat bomuldsgarn indfarvet og smukt afstemt efter de gamle naturlige plantefarver. Garnerne indfrier de strenge krav, som Gerda Bengtsson stiller til sig selv og sine materialer.

En bog fyldt med megen poesi, glæde og inspiration.

SÅDAN SYS KORSSTING

A. Korssting sys fra venstre mod højre. Alle understing sys først. Hvert understing går på skrå over 2 tråde, fra nederste venstre hjørne til højre øverste hjørne. Overstingene sys på tilbagevejen, og korsstingene er færdige.

B. Korssting syet oppe fra og ned. Hvert sting sys færdig med det samme, således at overstinget ligger i samme retning som på tegning A. Vrangsiden af A og B skal udelukkende vise lodrette sting.

C. Korssting forskudt i forhold til hinanden.

D. To forskellige former for stikkestingslinjer. Til venstre går de øverste stikkesting 2 tråde til siden og 2 tråde ned, ét sting 2 tråde vandret.

Tilhøjre går det øverste stikkesting 2 tråde ned, men kun 1 tråd til siden, og ét af stingene, det fjerde, går 2 tråde til siden og 1 tråd ned. Desuden vises 1 lodret sting og 1 vandret sting.

E. Fire stikkesting syet henholdsvis over en enkelt tråd og et enkelt trådkryds.

F. Til venstre ses fire $^3/_4$ korssting. Til højre ses halverede korssting, der kun spænder over 1 tråd på den ene led og 2 tråde på den anden led.

NB. På tegningerne er tråden og nålens forløb på vrangsiden ikke vist.

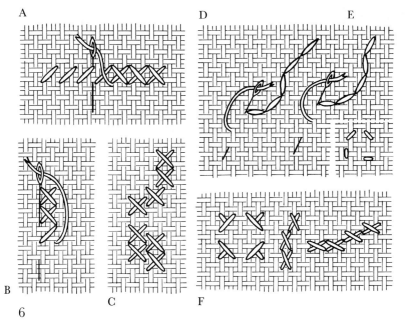

A   D   E

B   C   F

6

Materialer og anvisninger

Mønstrene i denne bog kan anvendes til bl.a. lunchservietter og mellemlægsservietter, duge og løbere, tevarmere, puder, klokkestrenge og vægdekorationer.

Håndarbejderne sys som regel på et finere lærred med en trådtæthed af 12 tråde pr. cm (her i bogen kaldet lærred I), eller på et grovere lærred med en trådtæthed af 7 tråde pr. cm (i bogen kaldet lærred II). Se iøvrigt nedenstående skema, hvor alle nødvendige oplysninger er samlet.

På mønstertegningerne til roserne er med pile angivet mønsterets midterlinjer. Mønsterets midtpunkt ligger i skæringspunktet mellem disse linjer.

En tern på mønsteret er lig to tråde i lærredet.

Alle bogens mønstre sys med Haandarbejdets Fremme's Blomstergarn, der er et fint mat bomuldsgarn i smukt afstemte naturfarver.

KODERNE TIL DIAGRAMMERNE

Under hver diagramtegning vil man kunne se, hvilke af Haandarbejdets Fremme's blomstergarner, der svarer til hvert tegn.

Hvor der i afsnittet med roserne er angivet to forskellige farvenumre, betyder det, at garnet skal blandes.

Tegnene yderst til venstre i diagramkolonnen angiver brugen af stikkesting.

Så stor forskel i størrelsen bliver der på et motiv, om det sys på grovere lærred nr. II eller på det finere lærred nr. I. Rosen er den gule rose, der er gengivet i farve på side 23. Det store broderi er her tænkt som et vægbillede, det lille som en mellemlægsserviet.

De anvendte lærredstyper og deres trådtæthed, samt de tilsvarende garner og nåle:

I = Fint lærred, bleget   12 tråde pr. cm 140 cm bredt. Der sys med 1 tråd Dansk Blomstergarn og med 2 tråde Amagergarn. Der anvendes nåle nr. 24 eller 25 uden spids.

II = Grovere lærred, bleget   7 tråde pr. cm 140 cm bredt. Der sys med 2 tråde Dansk Blomstergarn og med 4 tråde Amagergarn. Der anvendes nål nr. 21 uden spids.

Ved hjælp af nedenstående skema kan man nemt beregne, hvor meget de enkelte motiver vil fylde på de benyttede lærredstyper, samt på stoffer med anden trådtæthed.

Motivkredsen Mønstrenes størrelse	Vilde roser 70 × 70 tern	Mennesker 63 × 63 tern	Vinduer 58 × 58 tern
Lærred I: 6 tern = 1 cm	$11\frac{1}{2}$ cm	$10\frac{1}{2}$ cm	10 cm
Lærred II: $3\frac{1}{2}$ tern = 1 cm	20 cm	18 cm	$16\frac{1}{2}$ cm

Nogle eksempler på hånd- arbejder

Rosa rugosa, der på dansk kaldes rynket rose, er her syet på en pude. Den indrammes let og smukt af pudens tittekant.

Syet lunchserviet hvor en Rosa moyesii blomstrer i det ene hjørne. En let hulsøm danner afslutning langs serviettens kant.

10

DE VILDE ROSER

Til de viste eksempler er fortrinsvis benyttet rosenmotiverne, idet syningen af bogens øvrige to motivkredse svarer hertil.

Lunchservietter. Lærred I bleget
Klipmål: 48 × 38 cm.
Færdigmål: ca. 43 × 32 cm.
Der sys med 1 tråd.
Servietten sømmes med en stikhulsøm, 8 tråde bred.
Afstand fra stikhulsøm til motiv:
10 tråde foroven og 10 tråde til siden.

Mellemlægsservietter. Lærred II
Klipmål: 21 × 21 cm.
Færdigmål: ca. 15 × 15 cm.
Der sys med 1 tråd.
Servietterne sømmes med en stikhulsøm over 3 tråde.
Søm 8 tråde bred.
Se iøvrigt foto side 8.

Pude. Lærred II
Klipmål: 46 × 46 cm.
Færdigmål: ca. 34 × 34 cm.
Der sys med 2 tråde.
Puden monteres med en grøn tittekant.

Vægdekorationer. Lærred II bleget
Klipmål: 35 × 35 cm.
Færdigmål: ca. 30 × 30 cm.
Der sys med 2 tråde.

Broderiet spændes op på pap, der er 30 × 30 cm og 2 mm tykt. Vægdekorationerne kan indrammes enten uden glas eller med refleksfrit glas.

Klokkestreng.
Lærred I bleget
Klipmål: 21 × 115 cm.
Færdigmål: ca. 14 × 98 cm.
Klokkestrengen består af 7 motiver, der placeres i følgende rækkefølge: 1) side 25, 2) side 35, 3) side 23, 4) side 31, 5) side 21, 6) side 29, 7) side 27.
Find midten af lærredet foroven og mål 9 cm ned.
Tæl herfra ud til nærmeste blad og begynd at brodere motivet.
Afstanden mellem hvert motiv skal være 24 tråde.
Afslut klokkestrengen ved at bøje lærredet 20 tråde fra broderiet i siderne og 2$^1/_2$ cm fra broderiet foroven og forneden. Klokkestrengen monteres med en grøn tittekant på siderne og messingbeslag foroven og forneden.

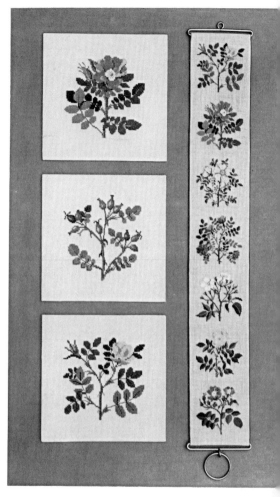

De vilde roser kan se meget smukke ud, når de samles på f.eks. en klokkestreng – en buket af roser plukket langs vejens hegn. Eller i større format som vægbilleder. Der fås enkle rammer med glas og et par skinner, der holder bagklædning, broderi og glas diskret sammen.

MENNESKER
I BY OG LANDSKAB

Vægdekoration med tre motiver. Lærred I bleget
Klipmål: 46 × 24 cm.
Færdigmål: ca. 38 × 15,5 cm.
Der måles 6 cm ind og ned i øverste venstre hjørne, begynd her.
Mellem motiverne er der to trådes afstand. Det færdige broderi
er spændt op på pap med to cm afstand fra broderi til ombuk.

*Motiverne med mennesker i by og på land gennem de skiftende årstider
egner sig fint til at blive syet som frise.*

Også enkeltvis i det større format er årstidsbillederne fyldt med stemning.

Vægdekoration. Lærred II

Disse motiver kan sys på samme måde som vægdekorationerne til de vilde roser.

Iøvrigt kan også puder og mellemlægsservietter sys efter anvisningerne til rose-motiverne.

POTTEPLANTER
I VINDUESKARMEN

Vægdekoration. Lærred II
Klipmål: 48 × 31 cm.
Færdigmål: ca. 38 × 21 cm.
Motivet er her gentaget to gange.
Der måles 6 cm ind og ned i øverste venstre hjørne og begyndes
her. Det færdige håndarbejde monteres på pap.
Puder, vægdekorationer og mellemlægsservietter kan iøvrigt sys
på samme måde som roserne.

*Et eksempel på hvordan motiverne fra blomstervinduerne også lader sig
benytte til frise. I dette tilfælde er et enkelt af bogens motiver gentaget
to gange.*

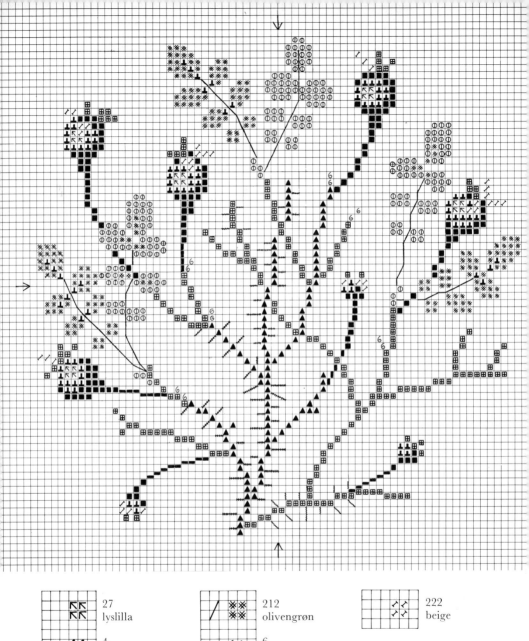

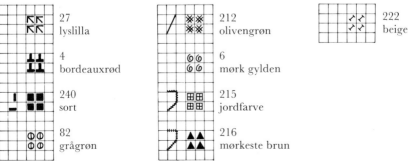

	27 lyslilla		212 olivengrøn		222 beige
	4 bordeauxrød		6 mørk gylden		
	240 sort		215 jordfarve		
	82 grågrøn		216 mørkeste brun		

KLITROSE
Rosa pimpinellifolia

17

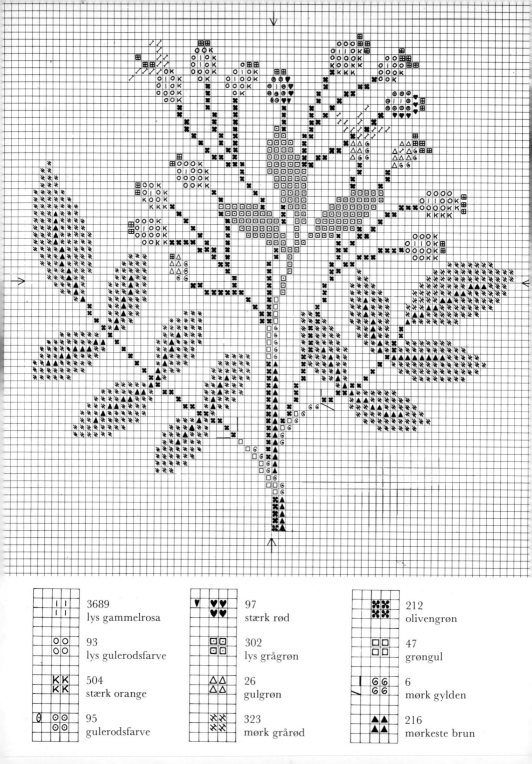

I I I I	3689 lys gammelrosa	
O O O O	93 lys gulerodsfarve	
K K K K	504 stærk orange	
Ø O O O O	95 gulerodsfarve	

♥ ♥ ♥	97 stærk rød	
☐ ☐ ☐ ☐	302 lys grågrøn	
△ △ △ △	26 gulgrøn	
✳ ✳ ✳ ✳	323 mørk grårød	

✖ ✖ ✖ ✖	212 olivengrøn	
▢ ▢ ▢ ▢	47 grøngul	
	G G G G	6 mørk gylden
▲ ▲ ▲ ▲	216 mørkeste brun	

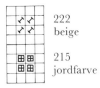 222
beige

215
jordfarve

HELENROSE »LYKKEFUND«
Rosa helenae hybrida

19

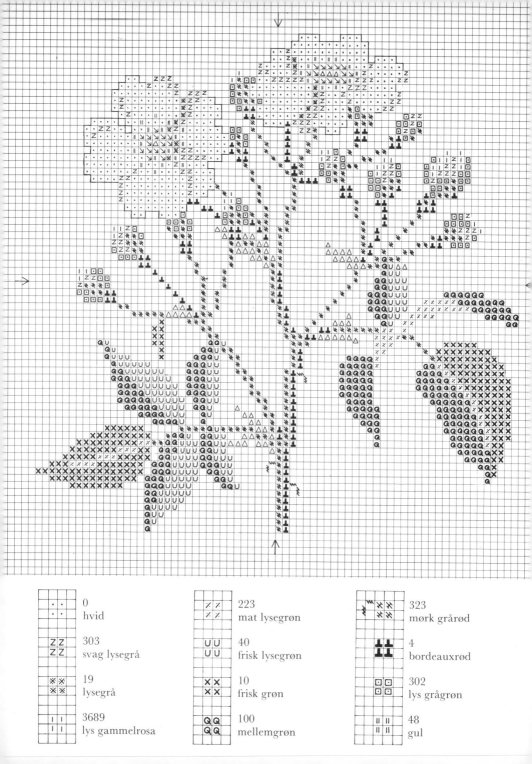

· · / · ·	0 hvid	⁄ ⁄ / ⁄ ⁄	223 mat lysegrøn	⚡ ⁂ ⁂ / ⁂ ⁂	323 mørk grårød
z z / z z	303 svag lysegrå	U U / U U	40 frisk lysegrøn	♣♣ / ♣♣	4 bordeauxrød
⁂ ⁂ / ⁂ ⁂	19 lysegrå	✕ ✕ / ✕ ✕	10 frisk grøn	□ · / □ ·	302 lys grågrøn
ı ı / ı ı	3689 lys gammelrosa	Q Q / Q Q	100 mellemgrøn	‖ ‖ / ‖ ‖	48 gul

| | 123 |
| stærk gul |
| | 26 |
| gulgrøn |
| | 7 |
| sandfarve |

AGERROSE
Rosa aevensis

21

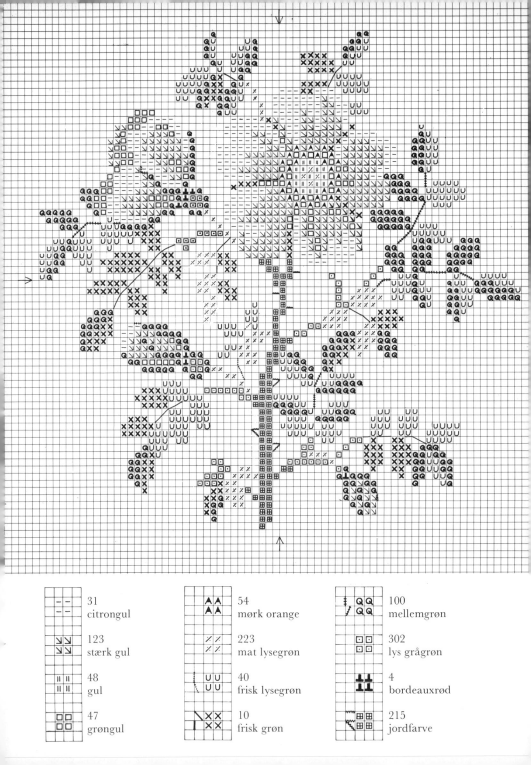

-- -- 31 citrongul	▲▲ ▲▲ 54 mørk orange	QQ QQ 100 mellemgrøn
⟍⟍ ⟍⟍ 123 stærk gul	⁄⁄ ⁄⁄ 223 mat lysegrøn	⊡⊡ ⊡⊡ 302 lys grågrøn
‖‖ ‖‖ 48 gul	UU UU 40 frisk lysegrøn	⚏⚏ 4 bordeauxrød
⊡⊡ ⊡⊡ 47 grøngul	XX XX 10 frisk grøn	⊞⊞ ⊞⊞ 215 jordfarve

Rosa hugonis

23

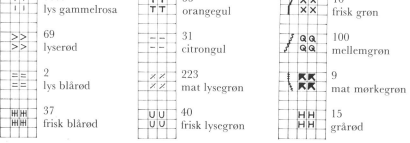

	3689		53		10
	lys gammelrosa		orangegul		frisk grøn
	69		31		100
	lyserød		citrongul		mellemgrøn
	2		223		9
	lys blårød		mat lysegrøn		mat mørkegrøn
	37		40		15
	frisk blårød		frisk lysegrøn		grårød

	✗	✗		
	✗	✗		

14
mørk murstensrød

	ς	ς		
	ς	ς		

213
mellembrun

ʒ	ʒ	ʒ		
ʒ	ʒ	ʒ		

12
lys murstensrød

KANELROSE
Rosa cinnamomea

25

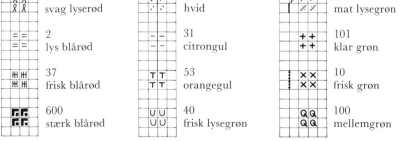

	776 svag lyserød		0 hvid		223 mat lysegrøn
	2 lys blårød		31 citrongul		101 klar grøn
	37 frisk blårød		53 orangegul		10 frisk grøn
	600 stærk blårød		40 frisk lysegrøn		100 mellemgrøn

 6
mørk gylden

ÆBLEROSE »LUCY BERTRAM«
Rosa eglanteria hybrida

27

.. .. /	0/3689 hvid/	lys gammelrosa
Z Z / Z Z	303	svag lysegrå
⌐⌐ / ⌐⌐	123	stærk gul
╱╱ / ╱╱	3688/3689	mellem-/ lys gammelrosa

I I / I I	3689	lys gammelrosa
1 1 / 1 1	505	klar gulgrøn
T T / T T	53	orangegul
╱ ╱ / ╱ ╱	223	mat lysegrøn

U U / U U	40	frisk lysegrøn
X X / X X	10	frisk grøn
Q Q / Q Q	100	mellemgrøn
K K / K K	9	mat mørkegrøn

 6
mørk gylden

HUNDEROSE
Rosa canina

29

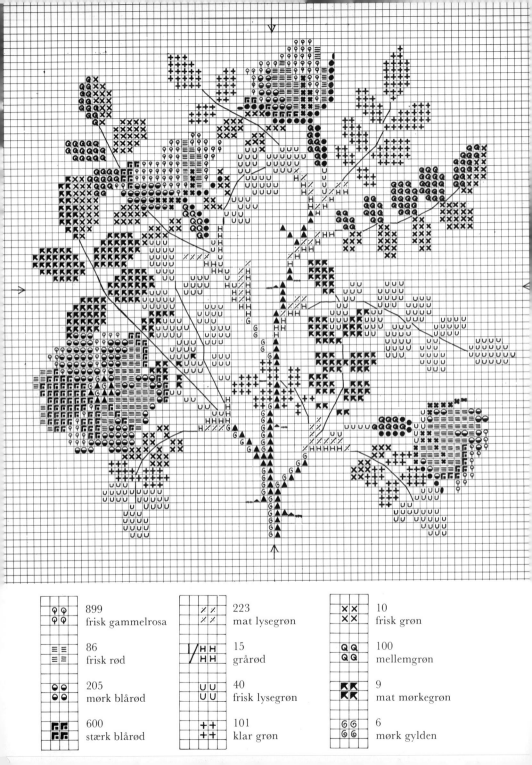

♀ ♀ ♀ ♀	899 frisk gammelrosa
≡ ≡ ≡ ≡	86 frisk rød
● ● ● ●	205 mørk blårød
┏┏ ┏┏	600 stærk blårød

⁄ ⁄ ⁄ ⁄	223 mat lysegrøn
∣H H H H	15 grårød
U U U U	40 frisk lysegrøn
+ + + +	101 klar grøn

× × × ×	10 frisk grøn
Q Q Q Q	100 mellemgrøn
K K K K	9 mat mørkegrøn
6 6 6 6	6 mørk gylden

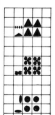 216
mørkeste brun

212
olivengrøn

206
mørk olivengrøn

Rosa moyesii

		0 hvid			37 frisk blårød			101 klar grøn
		3689 lys gammelrosa			505 klar gulgrøn			10 frisk grøn
		69 lyserød			223 mat lysegrøn			100 mellemgrøn
		2 lys blårød			40 frisk lysegrøn			48 gul

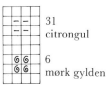

−	−	31
−	−	citrongul

⑥	⑥	6
⑥	⑥	mørk gylden

ÆBLEROSE
Rosa eglanteria

33

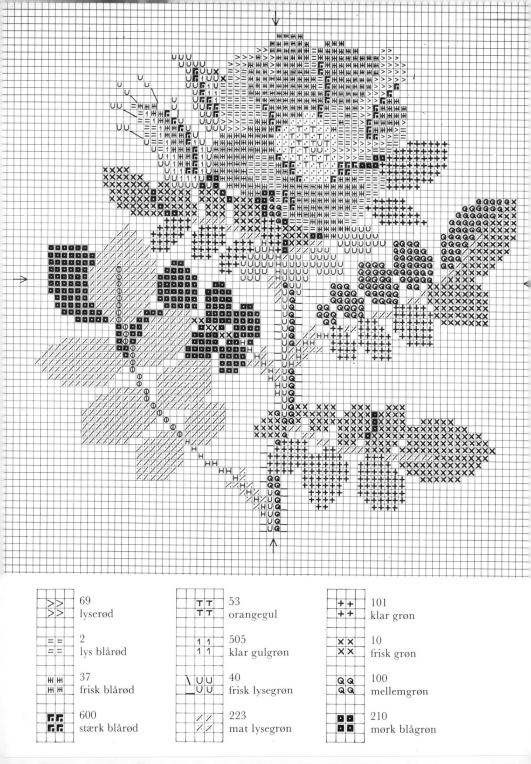

	69 lyserød		53 orangegul		101 klar grøn
	2 lys blårød		505 klar gulgrøn		10 frisk grøn
	37 frisk blårød		40 frisk lysegrøn		100 mellemgrøn
	600 stærk blårød		223 mat lysegrøn		210 mørk blågrøn

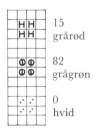

H H / H H	15 grårød
⊕ ⊕ / ⊕ ⊕	82 grågrøn
∴ ∴	0 hvid

RYNKET ROSE

Rosa rugosa

35

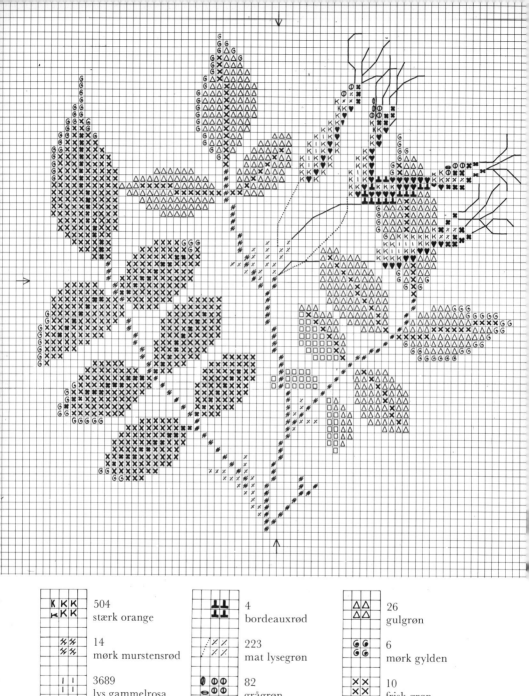

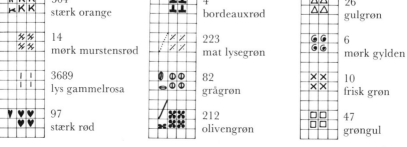

	504 stærk orange
	14 mørk murstensrød
	3689 lys gammelrosa
	97 stærk rød

	4 bordeauxrød
	223 mat lysegrøn
	82 grågrøn
	212 olivengrøn

	26 gulgrøn
	6 mørk gylden
	10 frisk grøn
	47 grøngul

Rosa davidii

 212
olivengrøn

ÆBLEROSE
Rosa eglanteria
39

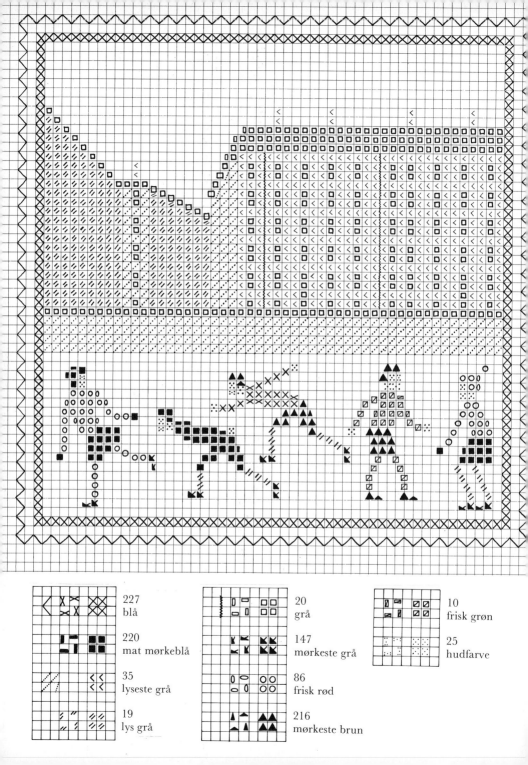

227	20	10
blå	grå	frisk grøn
220	147	25
mat mørkeblå	mørkeste grå	hudfarve
35	86	
lyseste grå	frisk rød	
19	216	
lys grå	mørkeste brun	

SKØJTELØB

41

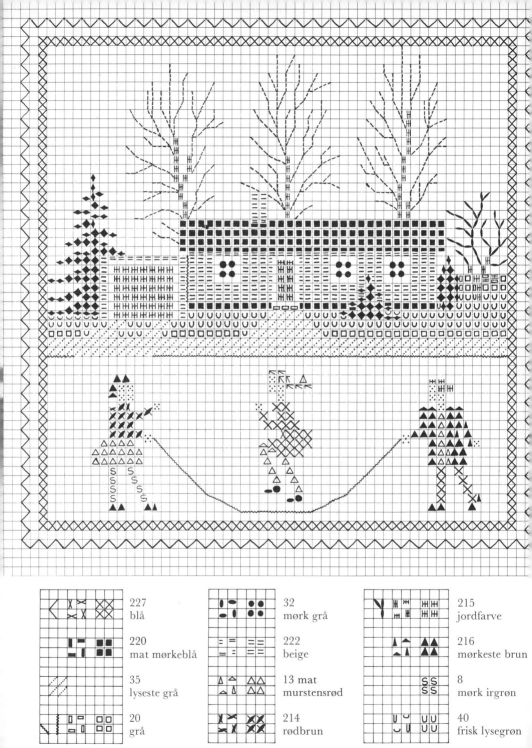

	227 blå		32 mørk grå		215 jordfarve
	220 mat mørkeblå		222 beige		216 mørkeste brun
	35 lyseste grå		13 mat murstensrød		8 mørk irgrøn
	20 grå		214 rødbrun		40 frisk lysegrøn

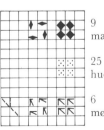

9
mat mørkegrøn

25
hudfarve

6
mørk gylden

SJIPPENDE PIGER

43

	227 blå		32 mørk grå		216 mørkeste brun
	220 mat mørkeblå		86 frisk rød		10 frisk grøn
	35 lyseste grå		13 mat murstensrød		9 mat mørkegrøn
	19 lys grå		213 mellembrun		25 hudfarve

48
gul

203
gylden

APRILSVEJR

45

	227 blå
	220 mat mørkeblå
	35 lyseste grå
	20 grå

	32 mørk grå
	86 frisk rød
	13 mat murstensrød
	216 mørkeste brun

	40 frisk lysegrøn
	10 frisk grøn
	9 mat mørkegrøn
	25 hudfarve

3 3
3 3

 203
gylden

LØVSPRING

X X XX	227 blå		
X X XX			

						100 mellemgrøn
						25 hudfarve
						16 svag lysegul
						203 gylden

| | | | | | | 6 mørk gylden |
| | | | | | | 0 hvid |

HØST

49

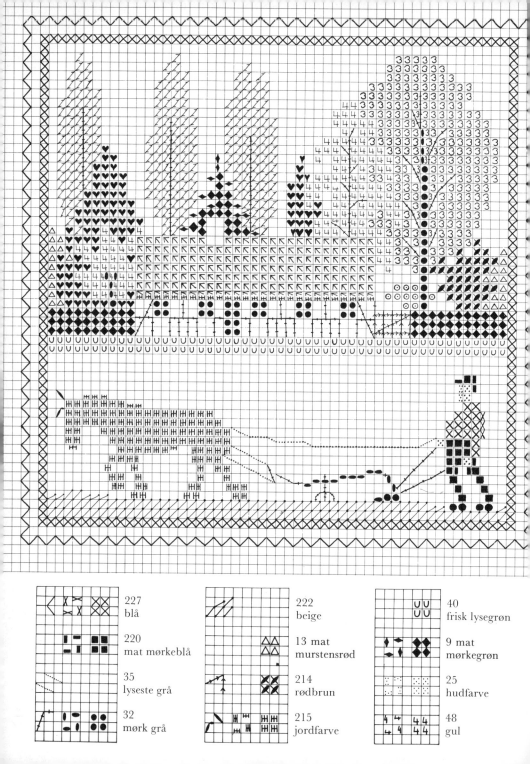

	227 blå
	220 mat mørkeblå
	35 lyseste grå
	32 mørk grå

	222 beige
	13 mat murstensrød
	214 rødbrun
	215 jordfarve

	40 frisk lysegrøn
	9 mat mørkegrøn
	25 hudfarve
	48 gul

		3	ꝫ		3	3	
		ꝫ	3		3	3	

203
gylden

		↖	↖		↖	↖	
		↖	↖		↖	↖	

6
mørk gylden

					○	○	
⟋	⟋	⟋			○	○	

34
mørk gulgrøn

	▾	♥			♥	♥	
	♥	▾			♥	♥	

212
olivengrøn

EFTERÅRSPLØJNING

	227 blå

| | 220 mat mørkeblå |

| | 5 lilla |

| | 35 lyseste grå |

| | 20 grå |

| | 32 mørk grå |

| | 213 mellembrun |

| | 216 mørkeste brun |

| | 40 frisk lysegrøn |

| | 223 mat lysegrøn |

| | 10 frisk grøn |

| | 100 mellemgrøn |

	◆	◆			
	◆	◆			

9 mat
mørkegrøn

∷	∷		∷	∷	
∷	∷		∷	∷	

25
hudfarve

3	3		3	3	
3	3		3	3	

203
gylden

0	0		0	0	
0	0		0	0	

34
mørk gulgrøn

0	0		0	0	
0	0		0	0	

86
frisk rød

SVAMPETUR

227 blå	32 mørk grå	215 jordfarve
35 lyseste grå	147 mørkeste grå	224 irgrøn
19 lys grå	222 beige	9 mat mørkegrøn
20 grå	213 mellembrun	25 hudfarve

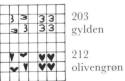

203
gylden

212
olivengrøn

NOVEMBERSTORM

55

		227 blå				32 mørk grå				96 frisk murstensrød
220 mat mørkeblå					147 mørkeste grå				15 grårød
		35 lyseste grå				222 beige				214 rødbrun
		20 grå				13 mat murstensrød				215 jordfarve

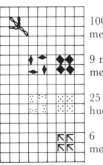

100
mellemgrøn

34
mørk gulgrøn

9 mat
mørkegrøn

25
hudfarve

6
mørk gylden

JULETRÆET KØBES

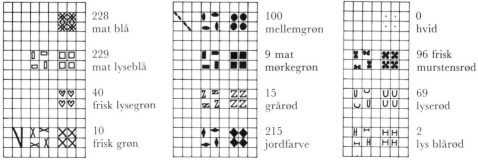

	228 mat blå
	229 mat lyseblå
	40 frisk lysegrøn
	10 frisk grøn

	100 mellemgrøn
	9 mat mørkegrøn
	15 grårød
	215 jordfarve

	0 hvid
	96 frisk murstensrød
	69 lyserød
	2 lys blårød

37
frisk blårød

97
stærk rød

1 Azalea
2 Alpeviol
3 Vedbend
4 Vintergæk
5 Hængefigen »Ficus«

10. 11. 12.

6. 7. 8. 9.

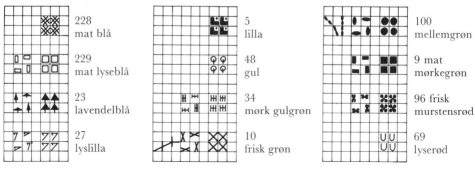

	228 mat blå
	229 mat lyseblå
	23 lavendelblå
	27 lyslilla

	5 lilla
	48 gul
	34 mørk gulgrøn
	10 frisk grøn

	100 mellemgrøn
	9 mat mørkegrøn
	96 frisk murstensrød
	69 lyserød

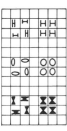

2
lys blårød

37
frisk blårød

205
mørk blårød

228 mat blå	40 frisk lysegrøn	12 lys murstensrød
229 mat lyseblå	10 frisk grøn	96 frisk murstensrød
48 gul	100 mellemgrøn	2 lys blårød
223 mat lysegrøn	9 mat mørkegrøn	37 frisk blårød

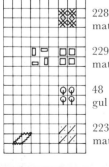
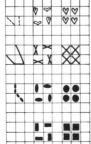

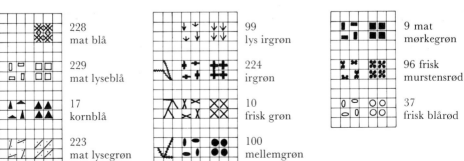

	228 mat blå
	229 mat lyseblå
	17 kornblå
	223 mat lysegrøn

	99 lys irgrøn
	224 irgrøn
	10 frisk grøn
	100 mellemgrøn

	9 mat mørkegrøn
	96 frisk murstensrød
	37 frisk blårød

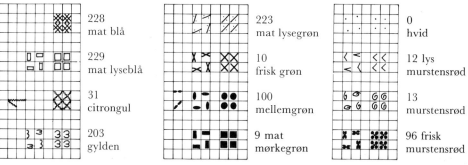

	228 mat blå
	229 mat lyseblå
	31 citrongul
	203 gylden

	223 mat lysegrøn
	10 frisk grøn
	100 mellemgrøn
	9 mat mørkegrøn

	0 hvid
	12 lys murstensrød
	13 murstensrød
	96 frisk murstensrød

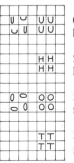 69
lyserød

H H
H H 2
lys blårød

0 0 / 0 0
0 0 / 0 0 37
frisk blårød

T T
T T 3
gammelrosa

 88
blårød

23 Figenkaktus
24 Bladkaktus
25 Bladkaktus
26 Pindsvinekaktus

27 Bladkaktus
28 Figenkaktus
29 Slangekaktus
30 Pinsekaktus
31 Slangekaktus

67

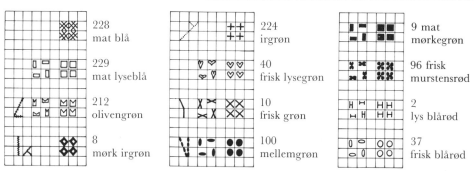

	228 mat blå
	229 mat lyseblå
	212 olivengrøn
	8 mørk irgrøn

	224 irgrøn
	40 frisk lysegrøn
	10 frisk grøn
	100 mellemgrøn

	9 mat mørkegrøn
	96 frisk murstensrød
	2 lys blårød
	37 frisk blårød

86
frisk rød

4
bordeauxrød

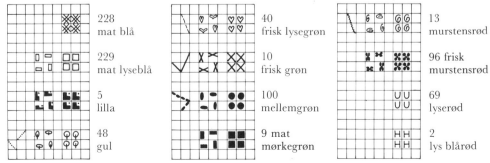

	228 mat blå
	229 mat lyseblå
	5 lilla
	48 gul

	40 frisk lysegrøn
	10 frisk grøn
	100 mellemgrøn
	9 mat mørkegrøn

	13 murstensrød
	96 frisk murstensrød
	69 lyserød
	2 lys blårød

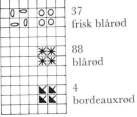

37
frisk blårød

88
blårød

4
bordeauxrød

38 Lykkeaks
39 Usambaraviol
40 Hawaiiblomst
41 Jødeskæg
42 Blomsterkarse »Nasturtium«
43 Slyngpelargonie

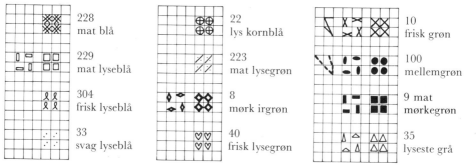

228
mat blå

229
mat lyseblå

304
frisk lyseblå

33
svag lyseblå

22
lys kornblå

223
mat lysegrøn

8
mørk irgrøn

40
frisk lysegrøn

10
frisk grøn

100
mellemgrøn

9 mat
mørkegrøn

35
lyseste grå

 96
frisk murstensrød

47.   48.   49.

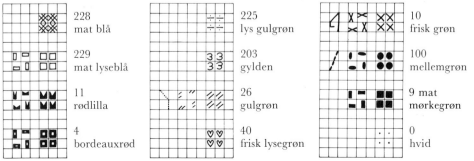

228 mat blå	225 lys gulgrøn	10 frisk grøn
229 mat lyseblå	203 gylden	100 mellemgrøn
11 rødlilla	26 gulgrøn	9 mat mørkegrøn
4 bordeauxrød	40 frisk lysegrøn	0 hvid

96
frisk murstensrød

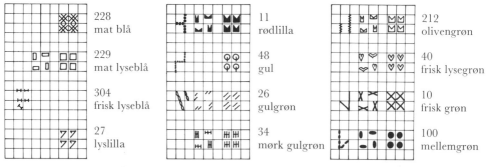

	228 mat blå
	229 mat lyseblå
	304 frisk lyseblå
	27 lyslilla

	11 rødlilla
	48 gul
	26 gulgrøn
	34 mørk gulgrøn

	212 olivengrøn
	40 frisk lysegrøn
	10 frisk grøn
	100 mellemgrøn

		Z	Z		**15** grårød
		Z	Z		

◆	◆		◆◆		**215** jordfarve
◆	◆		◆◆		

✖	✖		✖✖		**96 frisk** murstensrød
✖	✖		✖✖		

H	H		H H		**2** lys blårød
H	H		H H		

0	0		0 0		**37** frisk blårød
0	0		0 0		

			T T		**3** gammelrosa
			T T		

50 Passionsblomst

51 Paletblad

52 Voksrør

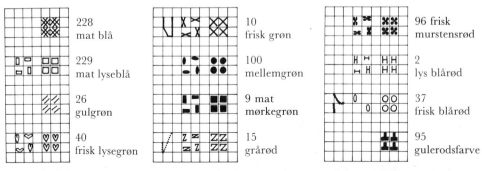

	228 mat blå
	229 mat lyseblå
	26 gulgrøn
	40 frisk lysegrøn

	10 frisk grøn
	100 mellemgrøn
	9 mat mørkegrøn
	15 grårød

	96 frisk murstensrød
	2 lys blårød
	37 frisk blårød
	95 gulerodsfarve

86
frisk rød

97
stærk rød

Oversigt over motiverne

(Tallene henviser til bogens sidetal)